PAIX

40 ARTISANS DE PAIX

Sandrine Mirza & Le Duo

GALLIMARD JEUNESSE

CONSTRUIRE LA PAIX

Penseurs éclairés, citoyens engagés ou leaders révolutionnaires, ces hommes et ces femmes ont dénoncé de toutes leurs forces l'atrocité et l'absurdité de la guerre, et ont lutté contre l'esclavage, l'oppression raciale ou l'injustice sociale. Ils se sont indignés partout où les droits de l'homme étaient bafoués avec un seul mot d'ordre : la non-violence.

Tout au long du XXᵉ siècle, qui a connu deux guerres mondiales, la barbarie et la bombe nucléaire, ils ont profondément marqué leur époque, et certains comme Einstein, Gandhi, Martin Luther King, Picasso ou Mandela sont devenus de véritables icônes de la culture mondialisée. Mais connaissez-vous Victor Schœlcher qui signa le décret d'abolition de l'esclavage en France, Sophie Scholl qui fut exécutée à 21 ans pour avoir dénoncé le régime nazi, Jody Williams qui lutta avec succès contre les mines antipersonnel ou Rigoberta Menchú qui dénonça l'injustice faite aux Amérindiens ?

Loin d'être dépassées, leurs idées et leurs actions portent des valeurs positives humanistes, universelles et intemporelles. Elles sont d'inépuisables sources d'inspiration pour tous ceux qui rêvent d'un monde plus juste et plus solidaire. Un monde meilleur. Un monde en paix.

SOMMAIRE

1
EMMANUEL KANT

2
VICTOR
SCHŒLCHER

3
VICTOR HUGO

4
HENRY DAVID
THOREAU

5
HENRI DUNANT

6
LEJZER LUDWIK
ZAMENHOF

7
BERTHA
VON SUTTNER

8
JEAN JAURÈS

9
ROSA LUXEMBURG

10
WOODROW
WILSON

11
OTTO DIX

12
ARISTIDE
BRIAND

13
ERICH MARIA
REMARQUE

14
PABLO PICASSO

15
DALTON TRUMBO

16
CHARLIE CHAPLIN

17
SOPHIE
SCHOLL

18
RAOUL
WALLENBERG

19
ALBERT EINSTEIN

20
GANDHI

21
ELEANOR
ROOSEVELT

22
MARTIN LUTHER
KING

23
JOAN BAEZ

24
MOHAMED ALI

25
JOHN LENNON

26
ADOLFO PÉREZ
ESQUIVEL

27
MAIREAD CORRIGAN
ET BETTY WILLIAMS

28
WANGARI MAATHAI

29
IKUO HIRAYAMA

30
TENZIN GYATSO

31
MIKHAÏL
GORBATCHEV

32
VÁCLAV
HAVEL

33
NELSON MANDELA

34
RIGOBERTA
MENCHÚ

35
JODY WILLIAMS

36
DANIEL
BARENBOIM

37
KIM
DAE-JUNG

38
MICHAEL MOORE

39
TEGLA
LOROUPE

40
MALALA
YOUSAFZAI

EMMANUEL KANT

CONTEXTE

Ce texte paraît en septembre 1795, peu après un traité de paix entre la Prusse et la France révolutionnaire, alors que l'Europe est profondément lasse de la guerre.

Vers la paix perpétuelle est l'un des textes les plus célèbres et les plus accessibles d'Emmanuel Kant. Ce philosophe allemand du XVIIIe siècle part du constat suivant : soit les États sont en guerre, soit ils vivent dans une paix fragile ; le conflit fait partie de leur nature. Selon lui, le droit est l'unique moyen de mettre fin à ce problème. Il faut remplacer la loi du plus fort par un cadre juridique qui règle les rapports entre les différents États.

> " Les armées permanentes doivent entièrement disparaître avec le temps. „
>
> Emmanuel Kant

IDENTITÉ

Philosophe, professeur

Allemand

Né le 22 avril 1724, à Königsberg (Prusse-Orientale), aujourd'hui appelé Kaliningrad (Russie)

Mort le 12 février 1804, à Königsberg

ÊTRE RÉPUBLICAIN

Seule la république peut garantir la paix, dit Kant, car elle associe le peuple au pouvoir. Ce dernier refuse la guerre, dont il est la première victime, alors que les souverains n'hésitent pas à la déclencher, sans s'exposer eux-mêmes au danger.

L'HOSPITALITÉ

Aux yeux de Kant, le droit international doit se fonder sur l'hospitalité : tous les hommes vivent sur terre, ils sont donc obligés de se supporter. Lorsqu'il arrive dans un pays, un étranger ne doit pas être traité en ennemi.

ENGAGEMENT
Auteur du texte
philosophique :
*Vers la paix
perpétuelle*

PHILOSOPHE ÉCLAIRÉ
Kant est une figure
majeure du mouvement
des Lumières.

ŒUVRE
Il a écrit une soixantaine
de livres, dont le célèbre
Critique de la raison pure.

KÖNIGSBERG
Kant n'a presque jamais
quitté Königsberg, sa ville
natale. Il y est enterré.

LE GRAND PHILOSOPHE

VICTOR SCHŒLCHER

CONTEXTE

Les révolutionnaires avaient aboli l'esclavage une première fois en 1794, mais Napoléon Bonaparte l'avait rétabli en 1802.

En 1828, lors d'un voyage d'affaires, le Français Victor Schœlcher se rend au Mexique, en Floride, en Louisiane et à Cuba. Il réalise alors l'ignoble sort réservé aux esclaves et prend la tête du combat abolitionniste. Nommé sous-secrétaire d'État, dans le gouvernement provisoire de la toute jeune IIe République, il signe le décret d'abolition de l'esclavage dans les colonies françaises le 27 avril 1848. Mais le gouvernement rejette sa proposition d'indemniser les anciens esclaves et de leur attribuer des lopins de terre.

250 000

esclaves noirs ou métis libérés à la Guadeloupe, à la Martinique, en Guyane, à la Réunion et au Sénégal.

L'HUMANISTE

Schœlcher lutte également contre la peine de mort, pour l'amélioration du sort des femmes et pour la protection des enfants. Durant la guerre franco-prussienne de 1870, il se prononce pour le pacifisme et l'alliance des peuples.

L'ESCLAVAGE

L'esclave appartient à son maître, qui le fait travailler gratuitement. Il est contraint à l'obéissance par la violence et la peur. Il peut être vendu, loué, donné, échangé... ou affranchi (c'est-à-dire libéré).

IDENTITÉ

Homme politique, journaliste

Français

Né le 22 juillet 1804, à Paris

Mort le 25 décembre 1893, à Houilles

ENGAGEMENT

Père de l'abolition de l'esclavage dans les colonies françaises

ABOLITION

Schœlcher met fin à presque deux cents ans de traite et d'esclavage en France.

DÉCRET

« L'esclavage est un attentat contre la dignité humaine », décret de 1848.

MARTINIQUE

Il est élu député de la Martinique par deux fois, en 1848 et en 1871.

L'ANTIESCLAVAGISTE

VICTOR HUGO

CONTEXTE

En Europe, la situation est explosive et les conflits s'enchaînent. Hugo évoque la guerre franco-prussienne de 1870 dans *L'Année terrible*.

Grand écrivain français et intellectuel engagé, Victor Hugo préside le Congrès international de la paix qui se tient à Paris en 1849, sous la IIᵉ République. Pour la première fois, il évoque le principe des États-Unis d'Europe. Il appelle de ses vœux une « fraternité européenne » réunissant tous les pays : France, Angleterre, Allemagne, Russie… et il explique que la guerre laissera alors la place au commerce et à l'échange d'idées. Il est considéré comme le père spirituel de l'Union européenne.

L'EXILÉ

Opposant à Napoléon III, qui a pris le pouvoir par un coup d'État, Hugo s'exile pendant plus de dix-neuf ans. Cependant, il continue de lutter en publiant de violents pamphlets contre celui qu'il nomme « Napoléon le Petit ».

IDENTITÉ

Écrivain (romans, théâtre), poète, homme politique

Français

Né le 26 février 1802, à Besançon

Mort le 22 mai 1885, à Paris

Obsèques nationales et inhumation au Panthéon

SES COMBATS

Outre la guerre, Hugo dénonce la misère, l'oppression des femmes, l'exploitation des enfants, le bagne et la peine de mort. Ce sont des thèmes forts de son célèbre roman *Les Misérables*. Grand ami de Victor Schœlcher, il condamne aussi l'esclavage.

> " Un jour viendra où les boulets et les bombes seront remplacés par les votes. „
>
> Victor Hugo au congrès de 1849

ENGAGEMENT
Discours sur
les États-Unis
d'Europe,
au Congrès de
la paix de 1849

EUROPE

« Plus de frontières !
Le Rhin à tous ! »,
réclame le député
Hugo en 1871.

ŒUVRE ENGAGÉE

En 1849, Hugo rédige
son célèbre discours
Détruire la misère.

POUR LA PAIX

À 67 ans, il préside
le congrès pacifiste
de 1869, à Lausanne.

L'ÉCRIVAIN VISIONNAIRE

HENRY DAVID THOREAU

Henry David Thoreau est un écrivain américain anticonformiste et contestataire. En 1846, il préfère aller en prison plutôt que de payer ses impôts à un gouvernement qui accepte l'esclavage des Noirs et la guerre au Mexique. Finalement, il ne passe qu'une nuit en prison, mais cette expérience le pousse à publier en 1849 son célèbre essai *La Désobéissance civile*, le premier texte théorique sur la résistance passive, qui inspirera notamment le Mahatma Gandhi et le pasteur Martin Luther King.

FORMATION

Thoreau étudie à l'université de Harvard et devient professeur. Mais il démissionne car il s'oppose au châtiment corporel des élèves.

IDENTITÉ

Écrivain, naturaliste

Américain

Né le 12 juillet 1817, à Concord

Mort le 6 mai 1862, à Concord

ABOLITIONNISTE

Thoreau aide des esclaves à fuir vers le Canada. Il prend même la défense de John Brown, un partisan de la lutte armée, arrêté pour avoir voulu provoquer un soulèvement d'esclaves. Mais, malgré ses efforts, l'homme est pendu.

POÈTE ÉCOLO

À 28 ans, Thoreau décide de vivre seul, dans une cabane, au milieu de la forêt. Il raconte cette retraite de deux ans dans son livre, *Walden ou la Vie dans les bois,* un hymne à la nature, à la simplicité et à la liberté.

PROFESSION

Indépendant, il vit de divers petits travaux. Parfois, il travaille dans l'usine familiale de crayons.

ENGAGEMENT
Initiateur
de la résistance
passive,
abolitionniste

CABANE

Thoreau construit
lui-même sa cabane
dans la forêt.

DOLLAR

En guise de protestation,
Thoreau refuse
de payer ses impôts.

CRAYON

Pendant plus
de vingt ans,
il note tout dans
son journal intime.

L'INSOUMIS

HENRI DUNANT

Présent à la bataille de Solferino, le Suisse Henri Dunant assiste à un véritable carnage et improvise les secours. De cette douloureuse expérience naît son combat pour une prise en charge digne et impartiale de tous les blessés de guerre. En 1863, il s'associe à quatre autres Suisses pour créer le Comité international de la Croix-Rouge et, en 1864, il soutient la première convention de Genève qui jette les bases du droit humanitaire : neutralité du personnel médical et obligation de soigner toutes les victimes.

CONTEXTE

La bataille de Solferino se déroule en Italie, le 24 juin 1859. Elle tourne à l'avantage des Français et des Piémontais, opposés aux Autrichiens.

PRIX

En 1901, Henri Dunant partage le premier prix Nobel de la paix avec Frédéric Passy, un Français pacifiste et anticolonialiste.

SON LIVRE

En 1862, Henri Dunant publie *Un souvenir de Solferino*. Ce livre, qui décrit le chaos de la guerre et la souffrance des soldats, suscite une vive émotion dans toute l'Europe. Il permet à Dunant de diffuser ses idées.

LES SYMBOLES

Le Comité international de la Croix-Rouge utilise trois symboles : la croix rouge, formée par l'inversion des couleurs du drapeau suisse, le croissant rouge, d'inspiration musulmane, et le cristal rouge, sans connotation.

IDENTITÉ

Homme d'affaires humaniste

Suisse et Français (1858)

Né le 8 mai 1828, à Genève

Mort le 30 octobre 1910, à Heiden

ENGAGEMENT
Initiateur de
la Croix-Rouge
et de la première
convention
de Genève

AFFAIRES

Homme d'affaires
plutôt médiocre, il connaît
la faillite et la ruine.

LIVRE

*Un souvenir
de Solferino* est traduit
en plus de 17 langues.

CROIX ROUGE

Symbole de protection
pour le personnel,
les ambulances
et les hôpitaux.

LE SAUVETEUR

LEJZER LUDWIK ZAMENHOF

Le jeune Lejzer Ludwik Zamenhof appartient à une famille juive et vit dans une zone de conflits nationaux et raciaux, à la frontière russo-polonaise. Très vite, il rêve d'unir les peuples du monde. Pour y parvenir, il met au point une langue internationale et, en 1887, il publie un premier manuel qui jette les bases de l'espéranto. Les années suivantes, il s'emploie à développer son projet en traduisant de nombreux ouvrages classiques et en organisant des congrès internationaux.

IDENTITÉ

Linguiste, médecin ophtalmologue

Polonais

Né le 15 décembre 1859, à Bialystok

Mort le 14 avril 1917, à Varsovie

FORMATION

Zamenhof parle russe, polonais, allemand, hébreu et yiddish. Il a aussi de bonnes connaissances en anglais, français, italien, latin et grec ancien.

L'ESPÉRANTO

Il s'agit d'une langue simple et régulière, sans exceptions. Elle repose sur seize règles de base : toutes les lettres se prononcent, les noms se terminent en « o » et les adjectifs en « a », les verbes ne varient ni en genre ni en nombre, etc.

POSTÉRITÉ

En août 1905, Zamenhof préside à Boulogne-sur-Mer le premier congrès mondial d'espéranto, qui rassemble vingt pays. De nos jours, l'espéranto continue d'exister dans quelque cent vingt pays, mais il reste très peu répandu dans la population.

PROFESSION

Profondément humaniste, il exerce son métier de médecin dans des milieux très pauvres et souvent il ne fait pas payer ses consultations.

ENGAGEMENT
Humanisme, tolérance, langue internationale

ÉTOILE VERTE
C'est le symbole de l'espéranto qui véhicule un idéal de paix.

TRADUCTION
Le mot « espéranto » signifie « celui qui espère ».

MÉDECIN
Parallèlement à sa carrière médicale, il crée une nouvelle langue.

ESPERANTO

LE DOCTEUR ESPÉRANTO

BERTHA VON SUTTNER

ALLIANCE

Bertha
von Suttner
est très amie avec
Alfred Nobel,
le richissime
inventeur de
la dynamite.
Elle l'aurait incité
à créer le prix
Nobel de la paix.

Dotée d'un esprit vif et indépendant, Bertha von Suttner fait du pacifisme la grande cause de sa vie. En 1889, elle publie son roman *Bas les armes !* ; le succès est au rendez-vous et elle devient une figure incontournable du mouvement pacifiste. Parlant couramment l'allemand, le français, l'italien et l'anglais, elle court les conférences et multiplie les discours dans toute l'Europe, ainsi qu'aux États-Unis. De 1892 à 1914, elle est vice-présidente du Bureau international de la paix.

IDENTITÉ

Militante pacifiste, journaliste, écrivain

Autrichienne

Née le 9 juin 1843, à Prague

Morte le 21 juin 1914, à Vienne

IPB

Fondé en 1891, le Bureau international de la paix (en anglais International Peace Bureau) est la plus ancienne association pacifiste internationale. Il organise des conférences et publie des rapports pour promouvoir la paix.

BAS LES ARMES !

Véritable best-seller, ce roman témoigne aussi bien des atrocités du front que de la vie quotidienne à l'arrière. Il raconte l'histoire de Martha Althaus, fille et femme de militaires, qui traverse les épreuves de quatre guerres, dont celle de 1870.

PRIX

Première femme lauréate du prix Nobel de la paix en 1905, elle jouit encore d'une grande considération : son visage orne la pièce de 2 euros autrichienne.

ARISTOCRATE

La baronne von Suttner
est issue de la haute
aristocratie
austro-hongroise.

IPB

Le Bureau international
de la paix existe toujours,
à Genève.

ENGAGEMENT
Pacifisme,
désarmement,
féminisme

LIVRE

Son roman est traduit
en une douzaine
de langues.

L'AMAZONE DE LA PAIX

JEAN JAURÈS

FORMATION

Brillant élève,
Jaurès est reçu
premier à l'École
normale supérieure
en philosophie,
puis troisième
à l'agrégation
de philosophie.

Député et figure emblématique du socialisme français, Jean Jaurès passe les dernières années de sa vie à combattre l'engrenage guerrier qui frappe l'Europe. En 1913, il s'oppose à la loi des trois ans… en vain. En 1914, il préconise une grève générale de tous les peuples contre la guerre… sans plus de résultat. Finalement, il est assassiné par un jeune nationaliste déséquilibré nommé Raoul Villain, le 31 juillet 1914, juste avant le déclenchement de la Première Guerre mondiale.

> " L'affirmation de la paix est le plus grand des combats. „
>
> Jean Jaurès, 1914

IDENTITÉ

Homme politique, professeur, journaliste

Français

Né le 3 septembre 1859, à Castres

Mort assassiné le 31 juillet 1914, à Paris

Inhumé au Panthéon

L'HUMANITÉ

En 1904, Jaurès lance un nouveau journal, *L'Humanité*. Ce quotidien porte les idées de la gauche, notamment la lutte ouvrière et la défense de la paix. D'abord socialiste, il devient communiste en 1920.

LA LOI DES TROIS ANS

Le 25 mai 1913, Jaurès participe au grand rassemblement pacifiste du Pré-Saint-Gervais. Il y prononce un discours vibrant contre la loi qui prévoit d'allonger la durée du service militaire de deux à trois ans.

ENGAGEMENT
Pacifiste, contre
la guerre de 14-18

ORATEUR

Jaurès est un orateur
hors pair qui joint
le geste à la parole.

DÉPUTÉ

Il est député
du Tarn pendant
presque dix-sept ans.

DRAPEAU ROUGE

Homme de gauche,
Jaurès défend les ouvriers
et le peuple en général.

LA VOIX DE LA PAIX

ROSA LUXEMBURG

Au début de la Première Guerre mondiale, l'Allemande Rosa Luxemburg mène une active campagne pacifiste. Cette militante d'extrême gauche demande aux ouvriers de ne pas prendre les armes et aux députés de ne pas voter les crédits de guerre. Avec son compagnon de lutte, Karl Liebknecht, elle fonde le mouvement spartakiste qui soutient la grande révolte allemande de 1918. Mais le gouvernement mate violemment cette insurrection, puis fait assassiner Rosa Luxemburg et Karl Liebknecht.

RÉPRESSION

Emprisonnée à quatre reprises (1904, 1906, 1915 et 1916), Rosa Luxemburg passe presque quatre ans derrière les barreaux.

IDENTITÉ

Femme politique, journaliste

Russe, naturalisée allemande

Née le 5 mars 1871, à Zamosc

Morte assassinée le 15 janvier 1919, à Berlin

SPARTAKISME

Ce mouvement incite les ouvriers de tous les pays à ne pas se battre entre eux, mais contre le système capitaliste et ses dirigeants. Il tire son nom de Spartacus, l'esclave qui s'est rebellé contre la République romaine.

EN GRÈVE

Rosa Luxemburg défend l'idée d'une grève de masse comme principal moyen d'action révolutionnaire. Elle désapprouve l'insurrection armée et déclare : « La révolution prolétarienne n'a nul besoin de la terreur pour réaliser ses objectifs. »

ALLIANCE

En 1916, son camarade Karl Liebknecht est condamné aux travaux forcés pour avoir crié : « À bas la guerre ! À bas le gouvernement ! »

ENGAGEMENT
Pacifiste, contre
la guerre de 14-18

JOURNAL
Elle écrit dans
un journal baptisé
Lettres de Spartacus.

SPARTACUS

PRISON
Elle y passe une partie
de la guerre.

BOX DES ACCUSÉS
En 1914,
elle est jugée pour
« incitation publique
à la désobéissance ».

LA RÉVOLUTIONNAIRE

WOODROW WILSON

Président des États-Unis, Woodrow Wilson engage son pays dans la Première Guerre mondiale, tout en cherchant le moyen d'y mettre fin. Le 8 janvier 1918, il prononce un discours retentissant : un programme en 14 points pour la paix et la liberté, qui prévoit notamment «le droit des peuples à disposer d'eux-mêmes» et la création d'une Société des Nations (SDN). Il est acclamé par les Européens mais désavoué par le Sénat américain qui rejette le traité de Versailles et l'adhésion des États-Unis à la SDN !

CINQUIÈME POINT

Dans ce point, Wilson demande un règlement impartial des questions coloniales en tenant compte des intérêts des populations concernées. Il évoque donc les droits des peuples colonisés... sans vraiment parler de décolonisation.

SDN

Basée à Genève (Suisse), la Société des Nations existe de 1920 à 1946 et réunit jusqu'à 60 pays. Elle a pour objectifs la prévention des guerres, le désarmement et l'amélioration globale de la qualité de vie. Elle est l'ancêtre de l'ONU.

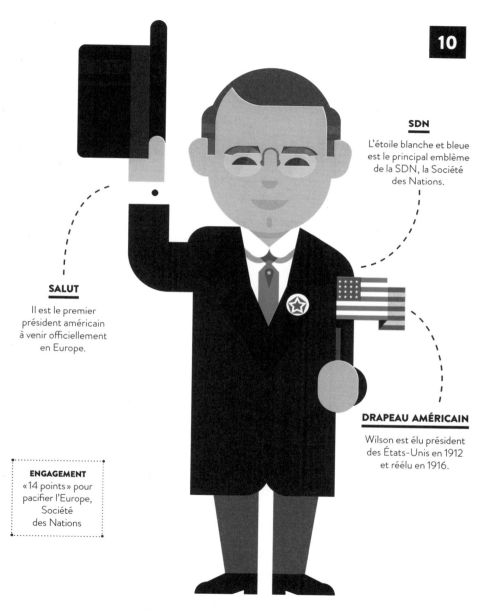

SDN

L'étoile blanche et bleue est le principal emblème de la SDN, la Société des Nations.

SALUT

Il est le premier président américain à venir officiellement en Europe.

DRAPEAU AMÉRICAIN

Wilson est élu président des États-Unis en 1912 et réélu en 1916.

ENGAGEMENT
«14 points» pour pacifier l'Europe, Société des Nations

LE PRÉSIDENT IDÉALISTE

OTTO DIX

RÉPRESSION

Considéré comme un représentant de « l'art dégénéré », Otto Dix est persécuté par les nazis. Ses œuvres sont interdites, voire détruites.

Ancien combattant allemand de la Première Guerre mondiale, Otto Dix retranscrit toute l'atrocité de la guerre dans son art. En 1924, il publie *La Guerre*, une série de cinquante eaux-fortes qui montrent les horribles conséquences des combats sur les corps et les âmes : soldats agonisants, corps en décomposition, civils traumatisés, etc. Il souhaite que ces « images chocs » circulent à travers l'Allemagne, pour provoquer un rejet de la guerre. Mais, en définitive, elles sont très peu vues.

MUTILÉS DE GUERRE

En 1920, Otto Dix peint *Les Joueurs de skat* qui représente trois « gueules cassées », des anciens combattants affreusement mutilés. Dans la même veine, il réalise *La Rue de Prague* et *Le Marchand d'allumettes*.

IDENTITÉ

Peintre, graveur

Allemand

Né le 2 décembre 1891, à Untermhaus

Mort le 25 juillet 1969, à Singen

TRIPTYQUE MACABRE

Entre 1929 et 1932, Otto Dix peint un triptyque intitulé *La Guerre*. Il représente une armée sans visages qui monte au front, un atroce champ de bataille jonché de cadavres, un soldat fantomatique (peut-être lui-même) qui redescend du front.

> " Les situations anormales font ressortir la dépravation, la bestialité des êtres humains. „
>
> Otto Dix

ENGAGEMENT
Dénonciation
des atrocités
de la guerre,
antimilitarisme

PALETTE

Chef de file
de la Nouvelle
Objectivité, il peint
le réel sans fard.

SOLDAT

Engagé volontaire
dans l'artillerie,
il combat en France
et en Russie.

14-18

Son œuvre témoigne
de la brutalité
de la guerre.

LE PEINTRE DE L'HORREUR

ARISTIDE BRIAND

À l'issue de la Première Guerre mondiale, le Français Aristide Briand consacre son talent de négociateur et son énergie à une politique de réconciliation avec l'Allemagne. En 1925, il orchestre avec l'Allemand Gustav Stresemann les accords de Locarno et, en 1926, il parraine l'entrée de l'Allemagne à la Société des Nations (SDN). Il veut également mettre la guerre hors la loi et initie avec l'Américain Frank Kellogg le pacte Briand-Kellogg. Il est l'un des plus ardents pacifistes de son époque.

BRIAND-KELLOGG

Ce pacte est signé le 27 août 1928, à Paris. Il réunit 63 pays qui s'engagent à régler leurs conflits par des moyens pacifiques. Pourtant, quelques années plus tard, il se montre incapable d'empêcher la Deuxième Guerre mondiale.

LOCARNO

Signés le 16 octobre 1925, à Locarno (Suisse), ces accords internationaux garantissent les frontières établies à l'issue de la Grande Guerre par le traité de Versailles. Ils confirment la démilitarisation de la Rhénanie.

11

fois président du Conseil (chef du gouvernement)

IDENTITÉ

Homme politique, diplomate, avocat, journaliste

Français

Né le 28 mars 1862, à Nantes

Mort le 7 mars 1932, à Paris

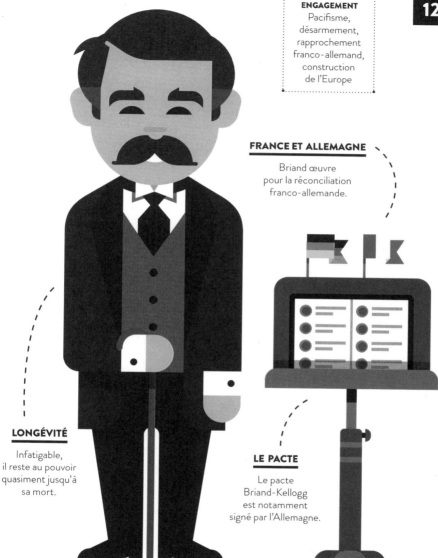

ENGAGEMENT
Pacifisme,
désarmement,
rapprochement
franco-allemand,
construction
de l'Europe

FRANCE ET ALLEMAGNE
Briand œuvre
pour la réconciliation
franco-allemande.

LONGÉVITÉ
Infatigable,
il reste au pouvoir
quasiment jusqu'à
sa mort.

LE PACTE
Le pacte
Briand-Kellogg
est notamment
signé par l'Allemagne.

LE PÈLERIN DE LA PAIX

ERICH MARIA REMARQUE

Soldat de la Première Guerre mondiale, Erich Maria Remarque est enrôlé dans l'armée allemande à 18 ans et envoyé dans l'enfer des Flandres, où il est blessé. De cette terrible expérience, il tire *À l'ouest, rien de nouveau*, un roman qui décrit la guerre dans toute son horreur. Publié en 1929, ce livre connaît un succès foudroyant ; il est même adapté au cinéma en 1930. Mais les nazis n'apprécient guère les propos antimilitaristes de Remarque, qui doit s'exiler en Suisse et aux États-Unis.

Magistralement mis en scène par Lewis Milestone, le film triomphe et reçoit deux Oscars : meilleur film et meilleur réalisateur.

20
millions
d'exemplaires
vendus, traduit
en 50 langues

IDENTITÉ

De son vrai nom
Erich Paul Remark

Écrivain

Allemand,
naturalisé
américain

Né
le 22 juin 1898,
à Osnabrück

Mort
le 25 septembre
1970, à Locarno

TITRE DU ROMAN

Le héros meurt « par une journée qui fut si tranquille sur tout le front que le communiqué se borna à signaler qu'à l'ouest il n'y avait rien de nouveau ». Le titre reprend cette phrase finale et ironise sur l'inhumanité des communiqués officiels.

LA RAGE NAZIE

Le pacifisme de Remarque déclenche la fureur des nazis qui brûlent le livre, interdisent le film et déchoient l'écrivain de sa nationalité allemande en 1938. Les nazis s'en prennent aussi à sa sœur Elfriede qu'ils assassinent en 1943.

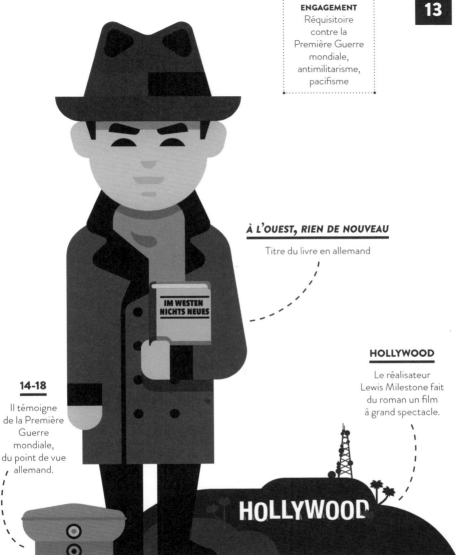

ENGAGEMENT
Réquisitoire
contre la
Première Guerre
mondiale,
antimilitarisme,
pacifisme

À L'OUEST, RIEN DE NOUVEAU

Titre du livre en allemand

IM WESTEN
NICHTS NEUES

HOLLYWOOD

Le réalisateur
Lewis Milestone fait
du roman un film
à grand spectacle.

14-18

Il témoigne
de la Première
Guerre
mondiale,
du point de vue
allemand.

HOLLYWOOD

L'ANCIEN COMBATTANT

PABLO PICASSO

CONTEXTE

Le Congrès mondial des partisans de la paix de 1949 est une manifestation pacifiste, soutenue par le Parti communiste, dont Picasso est membre depuis 1944.

Considéré comme le plus grand artiste du XXᵉ siècle, Pablo Picasso n'hésite pas à mettre son extraordinaire talent au service de la paix. En 1937, il peint l'une de ses toiles les plus célèbres, *Guernica*, qui symbolise toute l'horreur de la guerre. En 1949, il réalise sa première colombe de la paix, pour l'affiche du Congrès mondial des partisans de la paix à Paris. Par la suite, il en dessine beaucoup d'autres et contribue à populariser la colombe comme emblème universel de la paix.

50 000

œuvres ont été créées par l'artiste.

GUERNICA

Cette toile s'inspire d'un épisode de la guerre civile espagnole : le bombardement de la ville basque espagnole de Guernica par des avions de l'Allemagne nazie et de l'Italie fasciste. Elle montre la violence, la douleur et la mort.

LA GUERRE ET LA PAIX

Dans les années 1950, Picasso transforme la chapelle de Vallauris, dans le sud de la France, en temple de la paix. Il y peint la fresque *La Guerre et la Paix* dont l'un des personnages est un guerrier de la paix qui porte un bouclier décoré d'une colombe.

IDENTITÉ

Peintre, sculpteur

Espagnol

Né le 25 octobre 1881, à Malaga

Mort le 8 avril 1973, à Mougins

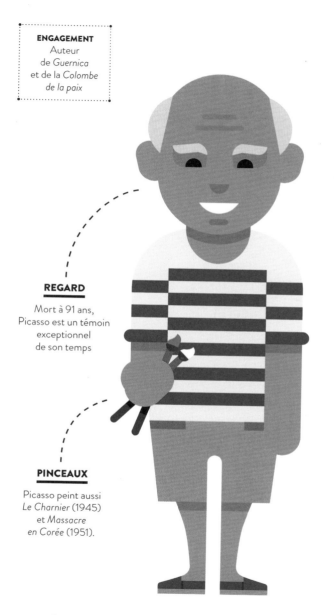

ENGAGEMENT
Auteur
de *Guernica*
et de la *Colombe
de la paix*

COLOMBE

La colombe symbolise
la paix et l'amour
depuis l'Antiquité.

REGARD

Mort à 91 ans,
Picasso est un témoin
exceptionnel
de son temps

PINCEAUX

Picasso peint aussi
Le Charnier (1945)
et *Massacre
en Corée* (1951).

L'ARTISTE GÉNIAL

DALTON TRUMBO

IDENTITÉ

Écrivain, scénariste, réalisateur

Américain

Né le 9 décembre 1905, à Montrose

Mort le 10 septembre 1976, à Los Angeles

Alors qu'il démarre une carrière de scénariste à Hollywood, Dalton Trumbo écrit le roman *Johnny s'en va-t-en guerre* (en anglais *Johnny Got His Gun*) en 1938. L'histoire raconte les souffrances et les rêves d'un jeune soldat américain de la Première Guerre mondiale, terriblement mutilé : il est sourd, muet, aveugle, manchot et cul-de-jatte... mais il est toujours conscient. Pacifiste épris de liberté, Trumbo signe là un bouleversant réquisitoire contre l'absurdité de la guerre.

PROFESSION

Scénariste de talent, Dalton Trumbo collabore à des films célèbres, comme *Spartacus* de Stanley Kubrick (1960) et *Exodus* d'Otto Preminger (1960).

CHASSE AUX SORCIÈRES

En 1947, Dalton Trumbo est accusé de communisme par la Commission des activités antiaméricaines. En 1950, il est condamné à un an de prison et mis au ban d'Hollywood. Il travaille alors sous divers pseudonymes, jusqu'en 1960.

LE FILM

Dalton Trumbo porte son roman à l'écran en 1971. On y voit Johnny, allongé sur son lit d'hôpital, qui se remémore son passé et renoue avec le monde qui l'entoure par le seul sens qui lui reste : la sensibilité de sa peau.

PRIX

Unique film de Dalton Trumbo, *Johnny s'en va-t-en guerre* marque les esprits et obtient le Grand Prix du Festival de Cannes, en 1971.

ENGAGEMENT
Pacifisme,
antimilitarisme

D'ACTUALITÉ

Le film sort
en pleine
guerre du Vietnam.

LIVRE

Son roman est
un chef-d'œuvre
de la littérature
antimilitariste.

FILM

Dans le film,
le rêve
est en couleur
et le réel
en noir et blanc.

LE DÉNONCIATEUR DE LA GUERRE

CHARLIE CHAPLIN

PROFESSION

En une cinquantaine d'années, il tourne plus de quatre-vingts films muets ou parlants.

CONTEXTE

La Seconde Guerre mondiale se déroule de 1939 à 1945. Les États-Unis entrent en guerre contre l'Allemagne, l'Italie et le Japon en 1941.

Depuis la création de son personnage de Charlot, en 1914, Charlie Chaplin connaît un immense succès. Mais son statut de vedette hollywoodienne ne l'empêche pas de réaliser des films engagés. En 1940, il sort *Le Dictateur*, un film satirique qui se moque du nazisme tout en dénonçant sa dangerosité. En interprétant le personnage de Hynkel, largement inspiré d'Hitler, Chaplin remporte son plus grand triomphe et contribue à sensibiliser l'opinion publique américaine au drame européen.

IDENTITÉ

Acteur, réalisateur

Britannique

Né
le 16 avril 1889, à Londres

Mort le 25 décembre 1977, à Corsier-sur-Vevey

LE DICTATEUR

Chaplin joue deux rôles : le dictateur Adenoïd Hynkel et son sosie, un barbier juif. À la fin du film, le barbier juif se retrouve à la place du dictateur et improvise un long discours qui prône la liberté, la tolérance, la démocratie et la paix.

CHARLOT SOLDAT

En 1918, lors de la Première Guerre mondiale, Charlie Chaplin tourne *Charlot soldat*, un film burlesque qui s'amuse du quotidien des soldats. Pacifiste dans l'âme, le comédien s'emploie déjà à montrer l'absurdité de la guerre.

RESSEMBLANCE

Charlot et Adolf Hitler portent la même petite moustache.

DEUX CROIX

Les deux croix de Hynkel rappellent la croix gammée d'Hitler.

COSTUME

Charlie Chaplin est célèbre pour son personnage de Charlot.

L'ICÔNE DU CINÉMA

SOPHIE SCHOLL

CONTEXTE

De 1933 à 1945, Adolf Hitler et son parti nazi imposent à l'Allemagne un régime de terreur et plongent de nombreux pays dans la Seconde Guerre mondiale.

À l'été 1942, une étudiante allemande de 21 ans, Sophie Scholl, se dresse contre la dictature imposée par les nazis. Elle rejoint son frère Hans et d'autres jeunes résistants qui viennent de fonder le mouvement clandestin la Rose blanche. Le 18 février 1943, Sophie et Hans diffusent des tracts antinazis dans l'université de Munich. Ils sont immédiatement dénoncés par le concierge et arrêtés par la Gestapo. Quatre jours plus tard, ils sont condamnés à mort et guillotinés sur-le-champ.

GROS RISQUES

Comme tous ses amis, Sophie Scholl prend de plus en plus de risques. En février 1943, elle dépose des tracts, en plein jour, dans le centre-ville de Munich, notamment dans les cabines téléphoniques et sur les voitures en stationnement.

LA ROSE BLANCHE

Le groupe écrit des slogans pacifistes sur les murs et rédige six tracts qui dénoncent la politique guerrière et antisémite des nazis. Leur dernier tract appelle les étudiants à se révolter et à renverser la dictature hitlérienne.

ALLIANCE

Étudiants en médecine, Hans Scholl et Alexander Schmorell sont les fondateurs du groupe la Rose blanche. Alexander est exécuté cinq mois après Hans.

IDENTITÉ

Étudiante

Allemande

Née le 9 mai 1921, à Forchtenberg

Morte le 22 février 1943, à Munich

ENGAGEMENT
Antinazisme,
pacifisme,
humanisme

CROIX GAMMÉE

Humaniste
et profondément
croyante,
Sophie Scholl
s'oppose
au nazisme.

LA ROSE BLANCHE

Nom du groupe
de résistance auquel
elle appartient.

TRACT

Elle lance des tracts
dans la cour de
l'université de Munich.

LA RÉSISTANTE

RAOUL WALLENBERG

En 1944, alors que les nazis entreprennent d'exterminer tous les Juifs de Hongrie, l'agence américaine War Refugee Board charge le Suédois Raoul Wallenberg de sauver les Juifs de Budapest. Malgré les difficultés et les risques, celui-ci multiplie les interventions. Il s'appuie principalement sur la neutralité suédoise : il donne aux Juifs des passeports suédois et il les abrite dans des bâtiments sous protection suédoise. Raoul Wallenberg aurait sauvé des dizaines de milliers de Juifs.

DISPARU

En janvier 1945, les Soviétiques libèrent Budapest... et arrêtent Raoul Wallenberg, qu'ils soupçonnent d'être un espion américain. Ensuite, on perd complètement sa trace. Est-il mort en prison ? A-t-il été assassiné ? C'est un mystère.

IDENTITÉ

Diplomate, homme d'affaires

Suédois

Né le 4 août 1912, à Lidingö

Disparu

WAR REFUGEE BOARD

En janvier 1944, le président américain Franklin D. Roosevelt crée le War Refugee Board, une agence destinée à aider les victimes civiles des nazis. Ses agents collaborent avec les organisations juives, les résistants et les pays neutres.

PROFESSION

Dans les années 1930, Wallenberg travaille pour une compagnie d'import-export. Il fait de fréquents voyages à Budapest et apprend le hongrois.

PRIX

En 1963, Israël attribue à Wallenberg le titre de « Juste parmi les Nations », une distinction qui honore les personnes non juives ayant aidé des Juifs.

ENGAGEMENT
Sauvetage des
Juifs de Budapest,
antinazisme

ÉTOILE JAUNE
Il négocie le sort
des Juifs avec
les autorités nazies.

PROTECTION
Il place trente-deux
immeubles sous
la protection
du drapeau suédois.

PASSEPORT
Il sauve nombre
de Juifs en leur délivrant
des passeports suédois.

LE DIPLOMATE COURAGEUX

ALBERT EINSTEIN

IDENTITÉ

Scientifique, physicien

Allemand, naturalisé suisse et américain

Né le 14 mars 1879, à Ulm

Mort le 18 avril 1955, à Princeton

Parce qu'il craint la dangereuse prolifération des armes nucléaires, le physicien Albert Einstein utilise son immense renommée pour défendre la paix. Les dix dernières années de sa vie, il multiplie les conférences, les articles de presse et les émissions de radio. En 1946, il prend la présidence du Comité de vigilance des savants atomistes et, en 1955, il signe le manifeste Russell-Einstein qui appelle les dirigeants du monde à régler leurs différends par des moyens pacifiques.

ALLIANCE
Mathématicien et philosophe britannique, Bertrand Russell s'oppose farouchement à l'utilisation de l'énergie nucléaire dans l'armement.

L'ERREUR
Redoutant que l'Allemagne nazie gagne la course à l'armement nucléaire, Einstein pousse les États-Unis à accélérer leurs recherches. Ceux-ci mettent au point la première bombe atomique et l'envoient sur Hiroshima... au grand dam du savant pacifiste.

$E=MC^2$
En 1905, Einstein pose la célèbre équation $E=mc^2$, qui établit une équivalence mathématique entre la masse et l'énergie. Mais il ne participe pas directement aux travaux concernant la physique nucléaire et ses applications militaires.

> " Le destin de l'humanité sera tel que nous le préparons. „
>
> **Albert Einstein**

ENGAGEMENT
Pacifisme,
désarmement
nucléaire,
antimilitarisme

GÉNIE
Physicien génial,
il reçoit le prix Nobel
de physique en 1921.

GRIMACE
Esprit libre,
sur une célèbre
photographie de 1951,
il tire la langue.

CHAMPIGNON ATOMIQUE
Profondément pacifiste,
il milite contre
l'armement nucléaire.

LE GÉNIE DU XXᵉ SIÈCLE

GANDHI

Mohandas Gandhi apparaît sur la scène politique indienne vers 1917. Alors que l'Inde fait partie de l'Empire britannique, il réclame son indépendance, mais il entend l'obtenir par des moyens pacifiques : il recommande le boycott des produits britanniques, le non-paiement de l'impôt, organise grèves, rassemblements, marches, jeûnes de protestation, etc. Le gouvernement britannique finit par céder et proclame l'indépendance de l'Inde en 1947, mais le pays bascule dans une terrible guerre civile et Gandhi est assassiné en 1948.

IDENTITÉ

Appelé « Mahatma », c'est-à-dire « grande âme »

Homme politique, guide spirituel, avocat

Indien

Né le 2 octobre 1869, à Porbandar

Mort assassiné le 30 janvier 1948, à Delhi

CONTEXTE

L'indépendance conduit à la partition du territoire indien en deux États distincts : l'Inde, plutôt hindoue, et le Pakistan, majoritairement musulman.

RÉPRESSION

Gandhi fait une dizaine de séjours en prison. En tout, il y passe six ans de sa vie. Sa peine la plus longue dure deux ans, de 1922 à 1924.

LE JEÛNE

Lui-même hindou, Gandhi fait tout pour réconcilier les communautés hindoue et musulmane. Au soir de sa vie, à 78 ans, il n'hésite pas à jeûner et à mettre sa santé en péril pour faire pression sur l'opinion publique.

GRANDE ÂME

Gandhi défend tous les opprimés, notamment les femmes et les « intouchables », des Indiens jugés impurs et rejetés par la société hindoue traditionnelle. Strictement végétarien, il refuse également le sacrifice des animaux.

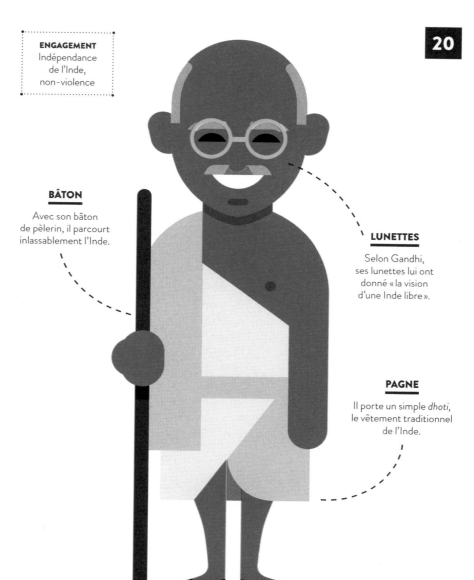

20

ENGAGEMENT
Indépendance
de l'Inde,
non-violence

BÂTON

Avec son bâton
de pèlerin, il parcourt
inlassablement l'Inde.

LUNETTES

Selon Gandhi,
ses lunettes lui ont
donné « la vision
d'une Inde libre ».

PAGNE

Il porte un simple *dhoti*,
le vêtement traditionnel
de l'Inde.

L'ÂME DE LA NON-VIOLENCE

ELEANOR ROOSEVELT

Épouse du président américain Franklin D. Roosevelt, Eleanor Roosevelt prend son rôle de première dame très à cœur. Elle s'applique particulièrement à défendre les droits des femmes et à dénoncer la ségrégation raciale. À la mort de son époux, elle poursuit son action à l'ONU. Elle y préside la Commission des droits de l'homme, de 1946 à 1951, et prend une part déterminante dans l'élaboration et la ratification de la Déclaration universelle des droits de l'homme (DUDH), en 1948.

CONTEXTE

Eleanor Roosevelt est la nièce de Theodore Roosevelt, président de 1901 à 1909, et l'épouse de Franklin D. Roosevelt, président de 1933 à 1945.

IDENTITÉ

Première dame des États-Unis

Américaine

Née le 11 octobre 1884, à New York

Morte le 7 novembre 1962, à New York

FÉMINISTE

Eleanor Roosevelt commence à militer pour l'amélioration des conditions de vie des femmes dans les années 1920. À la Maison-Blanche, elle va même jusqu'à instaurer une conférence de presse hebdomadaire réservée aux journalistes femmes !

LA DUDH

Adoptée le 10 décembre 1948, la Déclaration universelle des droits de l'homme affirme les droits civils, politiques et sociaux dont doivent bénéficier tous les êtres humains, sans distinction de race, de sexe, de religion ou de nationalité.

ALLIANCE

La DUDH est mise au point par neuf spécialistes venus du monde entier, dont l'éminent juriste français René Cassin, qui rédige l'essentiel du texte.

ENGAGEMENT
Droits
de l'homme,
féminisme, contre
la ségrégation
raciale

NATIONS UNIES

Emblème de l'ONU
(Organisation
des Nations unies)

FEMME DU MONDE

Eleanor Roosevelt
est issue de la haute
bourgeoisie new-yorkaise.

LA DUDH

Elle se compose
d'un préambule et
de trente articles.

LA PRÉSIDENTE

MARTIN LUTHER KING

Le pasteur Martin Luther King est l'un des principaux dirigeants du mouvement afro-américain pour les droits civiques (droit de vote) et contre l'oppression raciale. En 1955, il organise le boycott des bus de Montgomery et, en 1963, il prend la tête de la grande marche pacifique sur Washington pour l'emploi et la liberté. Couronnées de succès, ses actions non-violentes conduisent aux lois progressistes de 1964 et 1965 qui abolissent les principales discriminations raciales.

IDENTITÉ

Pasteur de l'Église baptiste

Américain

Né le 15 janvier 1929, à Atlanta

Mort assassiné le 4 avril 1968, à Memphis

RÉPRESSION

Bien qu'il soit totalement non-violent, Martin Luther King subit des arrestations, des menaces et des agressions. Il meurt assassiné à 39 ans.

LE BOYCOTT DES BUS

Ce conflit commence par l'arrestation de Rosa Parks, une femme noire qui a refusé de laisser sa place à un homme blanc. Il dure plus d'un an et débouche sur une victoire de Parks et King : l'interdiction de toute ségrégation dans les bus.

I HAVE A DREAM

La marche sur Washington du 28 août 1963 se termine par l'illustre discours de Martin Luther King : *I Have a Dream* (« Je fais un rêve »), qui dit son espoir de connaître une Amérique unie, fraternelle et respectueuse des droits de tous.

PRIX

King atteint le sommet de sa popularité en 1964, quand il reçoit le prix Nobel de la paix, à 35 ans seulement.

DISCOURS

Il est considéré comme l'un des plus grands orateurs du XXᵉ siècle.

MÉDIAS

I Have a Dream est retransmis en direct à la télévision.

LINCOLN MEMORIAL

Il parle devant le Lincoln Memorial qui évoque l'abolition de l'esclavage.

ENGAGEMENT
Droits civiques aux États-Unis, non-violence

L'APÔTRE DES DROITS CIVIQUES

JOAN BAEZ

Auteur-compositeur-interprète, l'Américaine Joan Baez intègre à sa carrière musicale ses choix politiques en faveur de la paix, de la liberté et de la justice sociale. Elle soutient le mouvement des droits civiques et participe, en 1963, à la marche sur Washington aux côtés de Martin Luther King. Elle milite contre la guerre du Vietnam et, en 1972, se rend à Hanoï, la capitale nord-vietnamienne bombardée par les Américains. Par la suite, elle continue de défendre les droits de l'homme.

PRIX

Pour avoir mis son talent au service des droits de l'homme, Joan Baez reçoit le prix «Ambassadeur dela conscience», décerné par Amnesty International en 2015.

VIETNAM

Joan Baez revient du Vietnam très marquée. En 1973, elle sort l'album *Where Are You Now, My Son ?*. Sa face B contient un enregistrement d'environ vingt minutes qui mêle chants, discours, sirènes d'alerte et bruits de bombardement.

TUBE

Here's to You est une des chansons les plus connues de Joan Baez. Elle rend hommage à Sacco et Vanzetti, deux immigrés italiens anarchistes condamnés à mort pour braquages et exécutés en 1927, malgré un fort doute sur leur culpabilité.

IDENTITÉ

Chanteuse de musique folk, artiste engagée

Américaine

Née le 9 janvier 1941, à New York

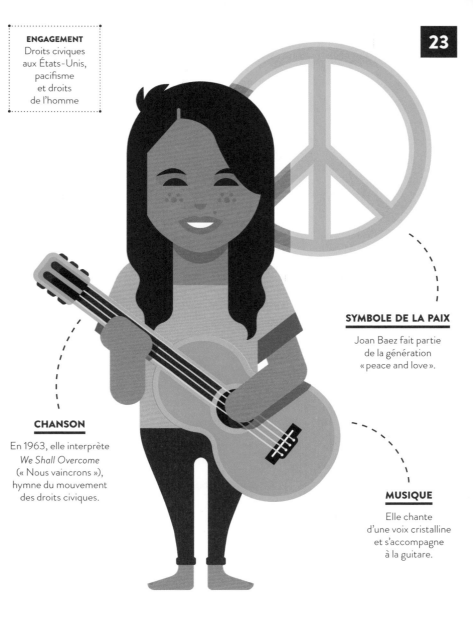

ENGAGEMENT
Droits civiques
aux États-Unis,
pacifisme
et droits
de l'homme

SYMBOLE DE LA PAIX

Joan Baez fait partie
de la génération
« peace and love ».

CHANSON

En 1963, elle interprète
We Shall Overcome
(« Nous vaincrons »),
hymne du mouvement
des droits civiques.

MUSIQUE

Elle chante
d'une voix cristalline
et s'accompagne
à la guitare.

LA REINE DU FOLK

MOHAMED ALI

Ali remporte trois fois le titre de champion du monde des poids lourds : en 1964 contre Liston, en 1974 contre Foreman et en 1978 contre Spinks.

Champion olympique et champion du monde de boxe, Mohamed Ali a 25 ans lorsqu'il refuse de faire son service militaire et d'aller combattre au Vietnam. En 1967, la justice américaine le condamne à une amende de 10 000 dollars et à cinq ans de prison ; dans la foulée, il est déchu de son titre mondial et interdit de boxe. Mais Mohamed Ali ne cède pas et fait appel... il évite la prison et récupère sa licence en 1970. Il enchaîne de nouveau les combats et redevient champion du monde.

CONTRE LA GUERRE

Mohamed Ali se déclare « objecteur de conscience » : il refuse de participer à une guerre qui va contre ses convictions religieuses et morales. Il justifie sa désapprobation en ajoutant : « aucun Vietnamien ne m'a jamais traité de nègre ».

IDENTITÉ

Boxeur

Américain

Né le 17 janvier 1942, à Louisville

Mort le 3 juin 2016, à Scottsdale

CONTEXTE

Mohamed Ali défend les droits des Afro-Américains et les droits humains en général. De 1998 à 2008, il est nommé messager de la paix de l'ONU.

NOM

Né Cassius Clay, il abandonne ce nom issu de l'esclavage et prend celui de Mohamed Ali, en 1964. Il s'agit d'un acte religieux et politique qui accompagne sa conversion à l'islam, au sein du mouvement afro-américain Nation of Islam.

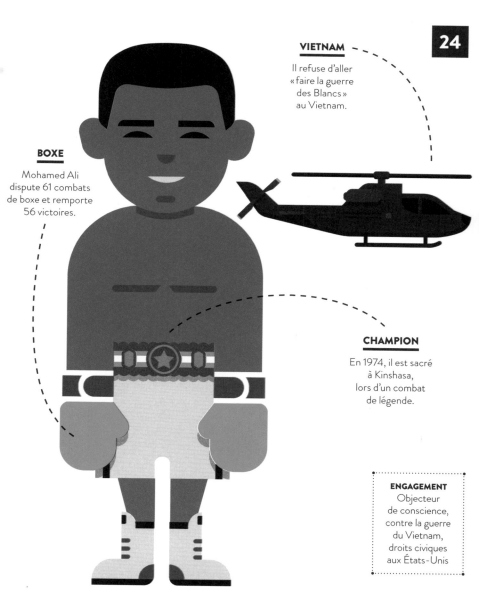

24

VIETNAM
Il refuse d'aller
« faire la guerre
des Blancs »
au Vietnam.

BOXE
Mohamed Ali
dispute 61 combats
de boxe et remporte
56 victoires.

CHAMPION
En 1974, il est sacré
à Kinshasa,
lors d'un combat
de légende.

ENGAGEMENT
Objecteur
de conscience,
contre la guerre
du Vietnam,
droits civiques
aux États-Unis

LE CHAMPION DU MONDE

JOHN LENNON

IDENTITÉ

Chanteur, auteur-compositeur

Britannique

Né le 9 octobre 1940, à Liverpool

Mort assassiné le 8 décembre 1980, à New York

Dans les années 1960, John Lennon est membre des Beatles, un groupe pop-rock au succès planétaire. Puis, il entame une carrière solo et met son immense popularité au service du mouvement pacifiste. En 1969, John Lennon et Yoko Ono profitent de leur mariage pour dénoncer la guerre du Vietnam et promouvoir la paix dans le monde. À Amsterdam et à Montréal, ils organisent des « bed-in » : ils reçoivent des amis et des journalistes autour de leur lit de noces pour parler de paix et d'amour.

PROFESSION

Les Beatles se composent de Paul McCartney, George Harrison, Ringo Starr et John Lennon. Ils ont vendu plus d'un milliard de disques !

IMAGINE

En 1971, Lennon envoie un autre message de paix avec sa fameuse chanson *Imagine*. Il chante : « Imagine qu'il n'y ait pas de pays ; ce n'est pas bien difficile ; rien qui nécessite de tuer et de mourir ; pas de religion non plus... »

GIVE PEACE A CHANCE

Véritable hymne pacifiste, cette chanson est enregistrée le 1er juin 1969, dans une suite de l'hôtel Queen Elizabeth, lors du bed-in de Montréal. Assis sur son lit, John Lennon chante et joue de la guitare, accompagné par toute l'assistance.

PRIX

En 1969, il renvoie sa médaille de l'ordre de l'Empire britannique pour dénoncer l'implication de son pays dans les guerres du Biafra et du Vietnam.

ENGAGEMENT
Pacifisme, antimilitarisme, contre la guerre du Vietnam

CHEVEUX LONGS
Il porte les cheveux longs, comme beaucoup de hippies.

ENGAGÉ
Il fait passer ses idées pacifistes à travers ses chansons.

PYJAMA
Lors des « bed-in », John Lennon reçoit ses invités en pyjama.

LA POP-STAR ENGAGÉE

ADOLFO PÉREZ ESQUIVEL

Artiste et professeur d'art argentin, Adolfo Pérez Esquivel défend les droits de l'homme en Amérique latine. En 1973, il fonde le journal *Paix et Justice* pour faire connaître ses idées et, en 1974, il prend la tête du Serpaj, le Service paix et justice, qui lutte par des moyens non-violents contre l'oppression des peuples latino-américains. Ses activités le conduisent en prison, mais il résiste et poursuit son combat pacifiste, notamment en faveur des enfants, des peuples autochtones et de la nature.

PRIX

Fort de son prix Nobel de la paix, reçu en 1980, il continue de militer en Amérique latine et il participe à des missions de solidarité dans le monde entier.

RÉPRESSION

En 1977, il est arrêté par la junte militaire et restera en prison quatorze mois. Il y est torturé. Catholique fervent, il dit avoir survécu grâce à sa foi.

DICTATURE ARGENTINE

Dans les années 1970-1980, des juntes militaires tiennent la plupart des pays latino-américains. En Argentine, une violente dictature sévit de 1976 à 1983. Elle fait des milliers de prisonniers politiques, de morts et de « disparus ».

SERPAJ

Présent dans treize pays, le Serpaj cherche à agir sur les mentalités. Son but est de développer une culture de paix pour éradiquer toutes les formes de violence : dans le couple, au travail, dans la société, au sommet de l'État.

IDENTITÉ

Sculpteur, peintre

Argentin

Né
le 26 novembre 1931, à Buenos Aires

ENGAGEMENT
Pacification
de l'Amérique
latine, défense
des droits
de l'homme

26

AMÉRIQUE LATINE

Il défend les pauvres
et les opprimés
d'Amérique latine.

LOGO DU SERPAJ

« La paix est le fruit
de la justice »,
affirme le Serpaj.

SCULPTEUR

L'une de ses sculptures
se nomme *Maternidad
y niño* (Maternité
et enfant)

L'ARTISTE ACTIVISTE

M. CORRIGAN
B. WILLIAMS

Depuis 1969, une vive hostilité entre catholiques et protestants ensanglante l'Irlande du Nord. Le 10 août 1976, lors d'un affrontement, une voiture écrase les trois neveux de Mairead Corrigan, sous les yeux de Betty Williams. Les deux femmes fondent alors le Women for Peace Movement (rebaptisé Peace People), un mouvement pacifiste qui cherche à réconcilier les deux communautés. Cependant, malgré leurs efforts et un moment d'accalmie, le conflit se poursuit jusqu'à l'accord de paix de 1998.

CONTEXTE

Le conflit nord-irlandais oppose les protestants, généralement fidèles au Royaume-Uni, et les catholiques, plutôt indépendantistes.

IDENTITÉ

Pacifistes

Nord-Irlandaises

Mairead Corrigan née le 27 janvier 1944, à Belfast

Betty Williams née le 22 mai 1943, à Belfast

LEUR MOUVEMENT

Le Women for Peace Movement (ou Mouvement des femmes pour la paix) organise dans les rues de Belfast plusieurs manifestations non-violentes qui regroupent des dizaines de milliers de personnes, catholiques et protestantes.

LES MURS DE LA PAIX

Construits à partir de 1969, ces « murs de la paix » (ou plutôt de la honte) se dressent au cœur de Belfast pour séparer les quartiers catholiques des quartiers protestants. En 2013, le gouvernement s'est engagé à les détruire d'ici à 2023.

PRIX

Mairead Corrigan et Betty Williams reçoivent ensemble le prix Nobel de la paix en 1976. Elles sont également membres de la fondation pacifiste PeaceJam.

MAIREAD CORRIGAN
Elle est issue
d'une famille catholique.

BETTY WILLIAMS
Elle est née d'un père
protestant et d'une
mère catholique.

ENGAGEMENT
Fin du conflit en
Irlande du Nord,
pacifisme,
non-violence

MUR DE LA PAIX
Elles veulent supprimer
les murs qui divisent
les Nord-Irlandais.

LES AMIES NORD-IRLANDAISES

WANGARI MAATHAI

IDENTITÉ

Biologiste, militante écologiste

Kényane

Née le 1ᵉʳ avril 1940, à Ihithe

Morte le 25 septembre 2011, à Nairobi

L'écologiste kényane Wangari Maathai fonde en 1977 le Mouvement de la ceinture verte qui encourage les femmes à planter des arbres. Son programme a un double intérêt : d'une part, il lutte contre la déforestation et l'appauvrissement des terres ; d'autre part, il aide les femmes en leur procurant du bois de chauffe, des terres meilleures, du travail et de la considération. Plus largement, Wangari Maathai considère qu'en améliorant l'environnement, elle crée une dynamique favorable au progrès et à la paix.

PRIX

Pour son action non-violente en faveur de l'environnement, Wangari Maathai est la première femme africaine à recevoir le prix Nobel de la paix en 2004.

" Nous plantons les graines de la paix, maintenant et pour le futur. "

Wangari Maathai

DÉMOCRATE

Sous le régime autoritaire du président Arap Moi, Wangari Maathai se bat pour la démocratie. Elle réclame des élections libres et la fin de la corruption. Son engagement politique la conduit en prison à plusieurs reprises.

DOUÉE

Élève brillante, Wangari Maathai étudie la biologie et la médecine vétérinaire. Puis elle travaille comme chercheuse et professeure à l'université de Nairobi. En 1971, elle devient la première femme d'Afrique orientale et centrale à obtenir un doctorat.

28

DRAPEAU KÉNYAN

Elle entre au Parlement
kényan en 2002 et
au gouvernement en 2003.

COSTUME TRADITIONNEL

Elle appartient
à l'ethnie kikuyu,
majoritaire au Kenya.

ARBRE

Sa fondation a planté
plus de 51 millions
d'arbres au Kenya.

ENGAGEMENT
Écologie,
développement
durable, droits
des femmes,
démocratie

LA MÈRE DES ARBRES

IKUO HIRAYAMA

Le 6 août 1945, une bombe atomique américaine s'écrase sur la ville japonaise d'Hiroshima et fait plus de 90 000 morts. Parmi les survivants se trouve un jeune garçon de 15 ans : Ikuo Hirayama. Celui-ci devient un artiste renommé et peint *L'Holocauste d'Hiroshima*, une immense toile rouge sang qui représente l'attaque tragique. Il s'engage également dans la sauvegarde du patrimoine culturel mondial car, selon lui, ces «trésors de l'humanité» favorisent la compréhension mutuelle et la paix.

CONTEXTE

En 1945, les États-Unis utilisent pour la première fois l'arme atomique. Ils bombardent deux villes japonaises : Hiroshima et Nagasaki.

IDENTITÉ

Peintre de l'école Nihonga

Japonais

Né le 15 juin 1930, à Setoda (préfecture d'Hiroshima)

Mort le 2 décembre 2009, à Tokyo

ROUTE DE LA SOIE

Converti au bouddhisme après le drame, Ikuo Hirayama imprègne ses œuvres de spiritualité bouddhique. Il aime également peindre la route de la soie, qu'il considère comme un lien culturel fort entre l'Orient et l'Occident.

CHEF-D'ŒUVRE

Peint en 1979, *L'Holocauste d'Hiroshima* montre la ville dans la fournaise nucléaire. Parce qu'il dénonce l'horreur de la guerre, ce tableau d'Ikuo Hirayama est souvent comparé au *Guernica* de Pablo Picasso.

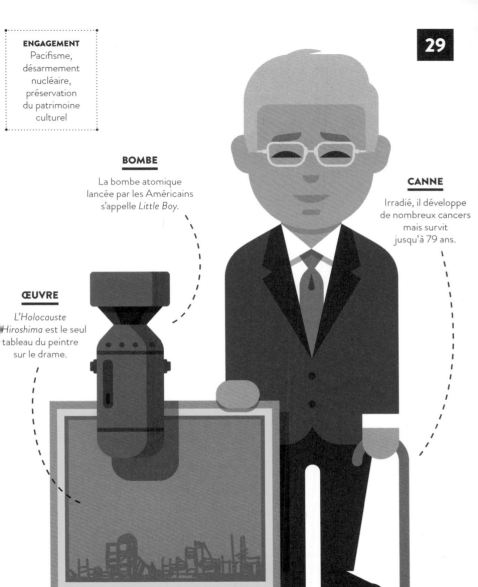

29

ENGAGEMENT
Pacifisme,
désarmement
nucléaire,
préservation
du patrimoine
culturel

BOMBE
La bombe atomique
lancée par les Américains
s'appelle *Little Boy*.

CANNE
Irradié, il développe
de nombreux cancers
mais survit
jusqu'à 79 ans.

ŒUVRE
*L'Holocauste
Hiroshima* est le seul
tableau du peintre
sur le drame.

LE RESCAPÉ

TENZIN GYATSO

IDENTITÉ

Moine bouddhiste

Tibétain (en exil)

Né le 6 juillet 1935, à Taktser

Quatorzième dalaï-lama, Tenzin Gyatso a 15 ans lorsque la toute nouvelle République populaire de Chine envahit le Tibet, en 1950. Neuf ans plus tard, il fuit le Tibet occupé et s'exile en Inde. Dès lors, il consacre sa vie au règlement non-violent de la « question tibétaine » : il en appelle à l'ONU et parcourt le monde pour rallier à sa cause les différents pays. Ses démarches lui assurent de nombreux soutiens et une grande popularité... mais ne lui permettent pas d'infléchir la politique chinoise.

PLAN DE PAIX

Dans son plan de paix en cinq points, il demande la transformation du Tibet en zone de paix, l'arrêt de l'immigration chinoise, le respect des droits fondamentaux des Tibétains, la protection de la nature et l'ouverture de négociations sur le statut du Tibet.

PRIX

Il reçoit le prix Nobel de la paix en 1989 pour son approche non-violente du conflit sino-tibétain et sa recherche de solutions pacifistes, fondées sur le respect mutuel.

DALAÏ-LAMA

Ce titre, que beaucoup traduisent par « Océan de Sagesse », désigne le grand maître des Gelugpa, une école du bouddhisme tibétain. Au XVIIe siècle, le dalaï-lama devient également le guide spirituel et l'autorité politique du Tibet.

> « Le désarmement extérieur passe par le désarmement intérieur. »
> Tenzin Gyatso

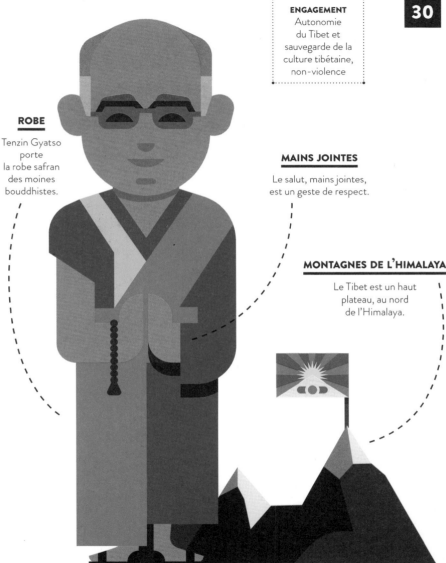

30

ENGAGEMENT
Autonomie
du Tibet et
sauvegarde de la
culture tibétaine,
non-violence

ROBE

Tenzin Gyatso
porte
la robe safran
des moines
bouddhistes.

MAINS JOINTES

Le salut, mains jointes,
est un geste de respect.

MONTAGNES DE L'HIMALAYA

Le Tibet est un haut
plateau, au nord
de l'Himalaya.

LE DALAÏ-LAMA

MIKHAÏL GORBATCHEV

Dirigeant de l'URSS, Mikhaïl Gorbatchev fait souffler un vent de réforme. À l'intérieur, il prend des mesures de libéralisation politique et économique. À l'extérieur, il prône la détente : il rétablit le dialogue avec les États-Unis et signe des accords de désarmement ; il se retire du conflit afghan ; il accepte la chute du mur de Berlin… qui entraîne la réunification de l'Allemagne et la dislocation du bloc soviétique. Mikhaïl Gorbatchev a largement contribué à l'arrêt de la guerre froide.

CONTEXTE

Proclamée en 1922, l'URSS regroupe quinze pays, dont la Russie. Elle est dissoute en 1991, emportée par l'explosion du bloc soviétique.

GUERRE FROIDE

De 1947 à 1991, le monde se divise en deux blocs ennemis : à l'ouest, les États-Unis et leurs alliés ; à l'est, l'URSS et ses alliés. On appelle « guerre froide » leur confrontation qui n'est pas militaire mais idéologique, diplomatique et économique.

DÉSARMEMENT

Afin d'arrêter la course aux armements entre l'URSS et les États-Unis, Mikhaïl Gorbatchev signe avec Ronald Reagan (1987) et George Bush (1991) deux traités qui visent à limiter les missiles à courte et moyenne portée et les armes nucléaires.

PRIX

Il reçoit le prix Nobel de la paix en 1990 pour sa gestion non-violente de la guerre froide et des révolutions démocratiques dans les pays de l'Est.

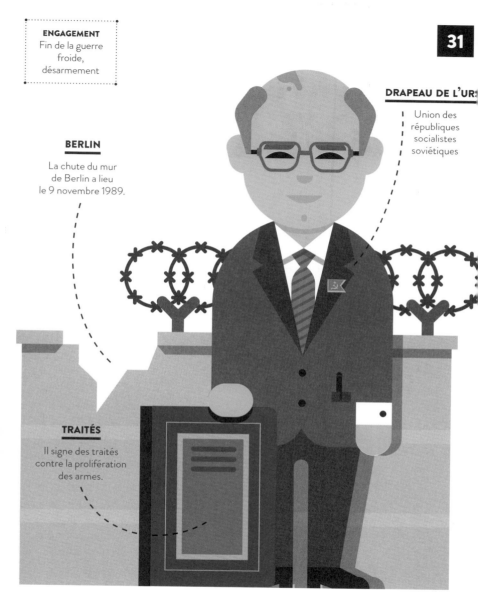

ENGAGEMENT
Fin de la guerre froide, désarmement

DRAPEAU DE L'UR
Union des républiques socialistes soviétiques

BERLIN
La chute du mur de Berlin a lieu le 9 novembre 1989.

TRAITÉS
Il signe des traités contre la prolifération des armes.

LE RÉFORMATEUR

VÁCLAV HAVEL

Intellectuel dissident, Václav Havel dénonce le régime communiste qui muselle la Tchécoslovaquie. En 1977, il cofonde le mouvement de la Charte 77, qui milite en faveur des droits de l'homme. Ses idées lui valent plusieurs séjours en prison, mais il ne renonce pas et devient très populaire. À l'automne 1989, il prend la tête de la « révolution de velours », et, le 29 décembre 1989, il est élu président. Au pouvoir pendant treize ans, il obtient le retrait des troupes soviétiques de son pays et il démocratise les institutions.

DRAMATURGE

Auteur dramatique de talent, Václav Havel écrit une vingtaine de pièces de théâtre. Les plus célèbres sont *Audience*, *Vernissage* et *Pétition*, des satires de la société tchécoslovaque, étouffée par le pouvoir communiste.

CHARTE 77

Publiée le 1er janvier 1977, la Charte 77 est une pétition qui exhorte le gouvernement tchécoslovaque à respecter les droits de l'homme. Elle est signée par des universitaires, des artistes, des journalistes, des hommes politiques, etc.

RÉPRESSION

Opposant politique, Václav Havel est jeté en prison à plusieurs reprises : il y passe au total près de cinq ans, entre 1977 et 1989.

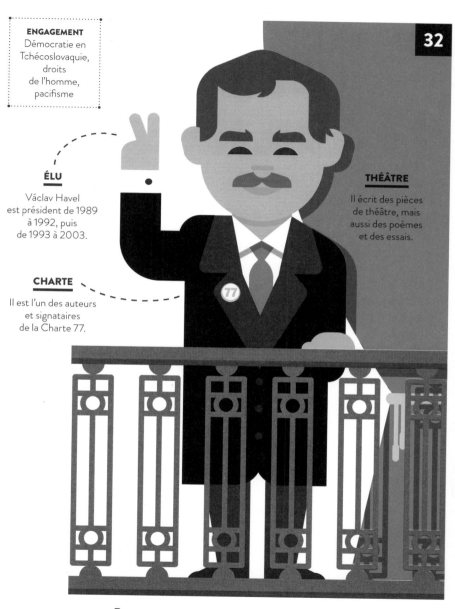

ENGAGEMENT
Démocratie en
Tchécoslovaquie,
droits
de l'homme,
pacifisme

32

ÉLU
Václav Havel
est président de 1989
à 1992, puis
de 1993 à 2003.

THÉÂTRE
Il écrit des pièces
de théâtre, mais
aussi des poèmes
et des essais.

CHARTE
Il est l'un des auteurs
et signataires
de la Charte 77.

LE PRÉSIDENT PHILOSOPHE

NELSON MANDELA

IDENTITÉ

Appelé « Madiba », nom de son clan

Président de la République

Militant politique, avocat

Sud-Africain

Né le 18 juillet 1918, à Mvezo

Mort le 5 décembre 2013, à Johannesburg

Militant anti-apartheid, Nelson Mandela lutte contre l'oppression de la majorité noire par la minorité blanche en Afrique du Sud. Son combat sans concession le conduit en prison. Il y reste vingt-sept ans, jusqu'à sa libération en 1990. Aussitôt, il revient sur la scène publique et négocie la suppression définitive de l'apartheid en 1991. Extrêmement populaire, il est élu président de la République aux élections de 1994. Il s'emploie alors à réconcilier les différentes composantes du peuple sud-africain.

PRIX

Nelson Mandela et le président Frederik De Klerk reçoivent conjointement le prix Nobel de la paix en 1993 pour leurs efforts en faveur de la démocratie.

APARTHEID

Instauré en 1948, le système de l'apartheid découle d'une longue tradition raciste en Afrique du Sud. Il légalise la séparation des Noirs et des Blancs, notamment en interdisant les mariages mixtes et en créant des quartiers réservés.

ANC

Nelson Mandela est le chef historique de l'ANC (Congrès national africain). D'abord non-violent, ce parti anti-apartheid passe à la lutte armée entre 1960 et 1990. Ensuite, il reprend la voie pacifique pour porter Mandela au pouvoir.

RÉPRESSION

Enfermé de 1962 à 1990, Mandela est le prisonnier politique le plus célèbre du monde. La pression internationale va largement contribuer à sa libération.

33

POING LEVÉ

Symbole de lutte,
de force et
de solidarité

DRAPEAU

Drapeau de l'Afrique
du Sud, la « nation
arc-en-ciel ».

CHAÎNE

Sur l'île prison
de Robben Island,
il effectue des
travaux forcés.

ENGAGEMENT
Contre
l'apartheid en
Afrique du Sud

LA LÉGENDE SUD-AFRICAINE

RIGOBERTA MENCHÚ

IDENTITÉ

Militante
de la cause
amérindienne

Guatémaltèque

Née le 9 janvier
1959, à Chimel

La Guatémaltèque Rigoberta Menchú appartient à l'ethnie amérindienne des Mayas Quichés. En 1983, elle se fait connaître en racontant le calvaire de sa communauté, exploitée et persécutée par les grands propriétaires terriens et la junte militaire au pouvoir. Devenue la voix des peuples autochtones, elle dénonce la dictature jusqu'à sa chute, en 1996, puis elle participe à la reconstruction du Guatemala, en mettant l'accent sur la justice sociale et la réconciliation ethnoculturelle.

CONTEXTE

De 1960 à 1996, le Guatemala se déchire : militaires et rebelles s'opposent. Cette guerre civile fait 200 000 morts, surtout parmi les Amérindiens.

EXIL

Rigoberta Menchú a 20 ans lorsqu'elle se rebelle et rejoint le mouvement politique de son père, le Comité d'unité paysanne. Elle-même menacée de mort, elle passe plusieurs mois dans la clandestinité, avant de s'exiler au Mexique en 1981.

DRAMES

En pleine guerre civile, la famille de Rigoberta Menchú est décimée : l'un de ses frères est sauvagement assassiné ; son père est emprisonné plusieurs fois et tué lors d'une manifestation ; sa mère est arrêtée et torturée à mort.

PRIX

En 1992, à 33 ans seulement, Rigoberta Menchú est la plus jeune lauréate du prix Nobel de la paix. Elle est récompensée pour son action en faveur des peuples autochtones.

ENGAGEMENT
Droits
des peuples
amérindiens,
droits des peuples
autochtones

NOBEL
Elle est la première
personnalité
amérindienne
Prix Nobel de la paix.

TENUE
Fière de ses racines,
elle porte la tenue
traditionnelle maya.

DRAPEAU DU GUATEMALA
Au Guatemala,
les Mayas représentent
environ 40 % de
la population.

LA CONSCIENCE MAYA

JODY WILLIAMS

IDENTITÉ

Professeure

Américaine

Née
le 9 octobre 1950,
à Brattleboro

Dans les années 1980, l'Américaine Jody Williams poursuit des études en relations internationales qui la conduisent au Salvador et au Nicaragua, deux pays en guerre, où elle constate les ravages des mines terrestres antipersonnel. En 1992, elle lance la Campagne internationale pour interdire les mines (ou ICBL), qui débouche sur la convention d'Ottawa, un traité de désarmement, signé en décembre 1997. Aujourd'hui, Jody Williams mène un nouveau combat contre les « robots tueurs », des armes autonomes !

CONVENTION D'OTTAWA

Ce traité interdit l'utilisation, le stockage, la production, la mise au point, l'acquisition et le transfert des mines terrestres antipersonnel. Il exige la destruction de toutes les unités existantes. La convention rassemble actuellement 162 États.

TERRAIN MINÉ

Cachées sous ou sur le sol, les mines antipersonnel explosent au passage de personnes. Frappant sans distinction, même après la fin des conflits, elles tuent et mutilent atrocement de très nombreux civils, y compris des enfants.

PRIX

Jody Williams reçoit le prix Nobel de la paix en 1997 conjointement avec l'ICBL, qui regroupe plusieurs organisations dont Handicap international.

> " Les mines antipersonnel font en moyenne neuf victimes par jour. „
>
> Handicap international, 2013

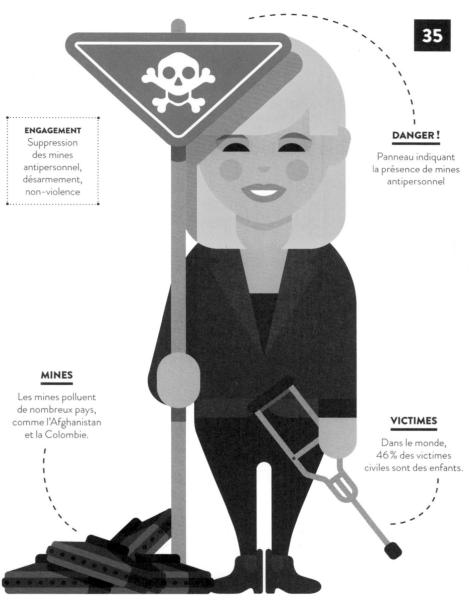

35

ENGAGEMENT
Suppression
des mines
antipersonnel,
désarmement,
non-violence

DANGER !
Panneau indiquant
la présence de mines
antipersonnel

MINES
Les mines polluent
de nombreux pays,
comme l'Afghanistan
et la Colombie.

VICTIMES
Dans le monde,
46 % des victimes
civiles sont des enfants.

LA COMBATTANTE

DANIEL BARENBOIM

Daniel Barenboim est un célèbre pianiste et chef d'orchestre, qui donne des concerts de musique classique aux quatre coins du monde. Ardent défenseur du rôle social et politique de l'art, il essaie de promouvoir la paix au Proche-Orient. En 1999, il fonde le West-Eastern Divan Orchestra. Cet orchestre symphonique a la particularité de rassembler des musiciens issus des différents pays du Proche-Orient ; il porte un message de dialogue et de coopération entre les Juifs et les Arabes.

ALLIANCE

Musicien juif israélo-argentin, Daniel Barenboim crée le West-Eastern Divan Orchestra avec Edward Saïd, un intellectuel chrétien américano-palestinien.

> « Un orchestre est une école pour la vie. »
>
> Daniel Barenboim

ACADÉMIE

En 2016, il inaugure l'Académie Barenboim-Saïd de Berlin. Cette école propose aux étudiants venus du Proche-Orient un cursus mêlant musique, littérature, philosophie et histoire. Elle se veut « un lieu d'espérance pour la raison et l'harmonie ».

EN PALESTINE

Malgré le conflit israélo-palestinien, Daniel Barenboim n'hésite pas à se produire dans les Territoires palestiniens, comme à Ramallah en 2005 et à Gaza en 2011. En 2008, il accepte même le passeport palestinien qui lui est offert.

IDENTITÉ

Pianiste et chef d'orchestre

Argentin, naturalisé israélien, espagnol et palestinien

Né le 15 novembre 1942, à Buenos Aires

36

MAESTRO

Il interprète magnifiquement Beethoven, Mozart, Wagner, Bruckner...

MUSIQUE

Il veut promouvoir la paix au Proche-Orient par la musique classique.

ENGAGEMENT

Paix au Proche-Orient, fraternisation entre Israéliens et Palestiniens

PIANO

Enfant prodige, il donne son premier concert de piano à 7 ans

LE MUSICIEN SANS FRONTIÈRES

KIM DAE-JUNG

IDENTITÉ

Président de
la Corée du Sud

Homme
politique

Sud-Coréen

Né le 6 janvier
1924 (ou le 3
décembre 1925),
à Haui-do

Mort le 18 août
2009, à Séoul

Après la guerre de Corée, le jeune Kim Dae-jung milite en faveur d'une Corée du Sud démocratique et subit les représailles du régime militaire dictatorial au pouvoir. Après des années de prison et d'exil, il revient sur la scène politique en 1985 et devient président en 1998. Durant son mandat, il s'attelle à redresser l'économie de son pays et à renouer avec la Corée du Nord. Il nomme son action en faveur d'une coexistence pacifique des deux Corées la « politique du rayon de soleil ».

RÉPRESSION

Au total, il passe six ans en prison, trois en exil et dix en résidence surveillée. Par ailleurs, il essuie deux tentatives d'assassinat !

UN « RAYON DE SOLEIL »

Malgré la fin de la guerre, les deux Corées gardent des rapports tendus. Désireux d'apaiser la situation, Kim Dae-jung est le premier président sud-coréen à se rendre en Corée du Nord. Il y rencontre Kim Jong-il, en juin 2000.

DEUX CORÉES

À la fin de la Seconde Guerre mondiale, la péninsule coréenne est partagée en deux : la Corée du Nord, soutenue par l'Union soviétique, et la Corée du Sud, sous influence américaine. Cette scission provoque la guerre de Corée, de 1950 à 1953.

PRIX

Son prix Nobel en 2000 récompense son combat pour la démocratie, les droits de l'homme, la paix et la réconciliation sur la péninsule coréenne.

NOBÉLISÉ

Il est souvent comparé à Nelson Mandela, Prix Nobel comme lui.

DRAPEAU CORÉE DU SUD

Il dirige la Corée du Sud de 1998 à 2003.

ENGAGEMENT
Démocratie, rapprochement entre la Corée du Sud et la Corée du Nord, pacifisme

37

DRAPEAU CORÉE DU NORD

La Corée du Nord est le pays le plus fermé du monde.

LE RÉCONCILIATEUR

MICHAEL MOORE

CONTEXTE

Voté en 1791, le deuxième amendement de la Constitution des États-Unis garantit pour tout citoyen américain le droit de porter des armes.

Militant de gauche, l'Américain Michael Moore est connu pour ses documentaires qui critiquent les travers de la société américaine. En 2002, il s'attaque au grave problème des armes à feu, dans *Bowling for Columbine*. Il s'interroge sur la fascination qu'exercent les armes, sur leur libre circulation, sur l'omniprésence de la violence, sur le message de peur diffusé par les médias et les politiciens... autant d'éléments qui, selon lui, servent la puissante industrie de l'armement américain.

TUERIE DE COLUMBINE

Bowling for Columbine fait référence à la terrible fusillade du 20 avril 1999, dans le lycée Columbine de Littleton (Colorado). Ce jour-là, deux jeunes garçons tuent douze élèves et un professeur, puis se suicident.

IDENTITÉ

Cinéaste

Américain

Né le 23 avril 1954, à Flint

LE FLÉAU

Aux États-Unis, les armes à feu feraient plus de 90 morts par jour (30 meurtres et 60 suicides) ! Pourtant, malgré les mises en garde de Michael Moore et d'autres, une grande partie de l'opinion publique reste attachée au deuxième amendement.

PRIX

Bowling for Columbine reçoit le prix du 55e anniversaire du Festival de Cannes en 2002 et l'Oscar du meilleur film documentaire en 2003.

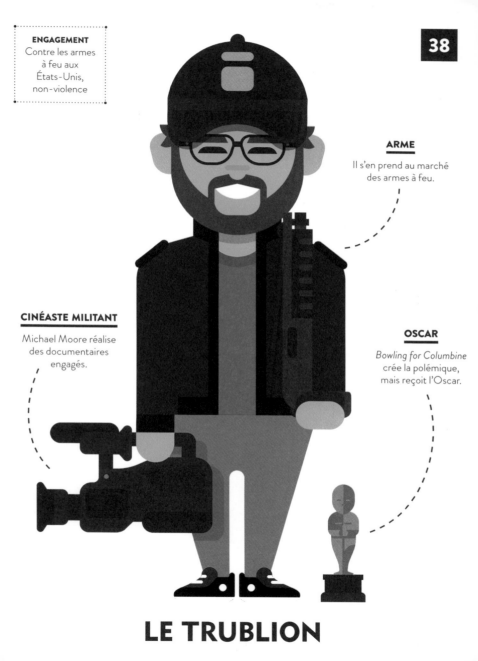

38

ENGAGEMENT
Contre les armes
à feu aux
États-Unis,
non-violence

ARME
Il s'en prend au marché
des armes à feu.

CINÉASTE MILITANT
Michael Moore réalise
des documentaires
engagés.

OSCAR
Bowling for Columbine
crée la polémique,
mais reçoit l'Oscar.

LE TRUBLION

TEGLA LOROUPE

CONTEXTE

Elle est membre
du club des
Champions de
la paix, un collectif
d'athlètes de haut
niveau, créé par
l'organisation
monégasque
Peace and Sport.

Grande championne kényane, Tegla Loroupe est la première athlète africaine à gagner le prestigieux marathon de New York, en 1994. C'est également une femme de cœur qui met sa notoriété au service de la paix et de l'Afrique. En 2003, elle crée sa fondation (Tegla Loroupe Peace Foundation) qui s'appuie sur le sport pour promouvoir l'amitié entre les peuples et l'égalité femmes-hommes. Infatigable, Tegla Loroupe organise également des « courses de la paix » dans toute l'Afrique de l'Est.

TOUR DE FORCE

Robert Matanda et Julius Arile sont deux bandits qui sèment la terreur dans le nord du Kenya. Courageuse, Tegla Loroupe parvient à les rencontrer... et à les persuader d'abandonner leurs armes. Elle réussit même à les convertir à l'athlétisme !

RÉFUGIÉS

Tegla Loroupe aide les athlètes réfugiés dans les camps kényans : elle les accueille dans son centre d'entraînement et les prépare aux compétitions. En 2016, elle permet à cinq Sud-Soudanais de participer aux Jeux olympiques de Rio.

FORMATION

Enfant, elle s'inscrit à l'école toute seule, malgré l'interdiction de son père. Pour y aller, elle court une vingtaine de kilomètres par jour.

IDENTITÉ

Athlète, championne de marathon

Kényane

Née le 9 mai 1973, à Kutomwony

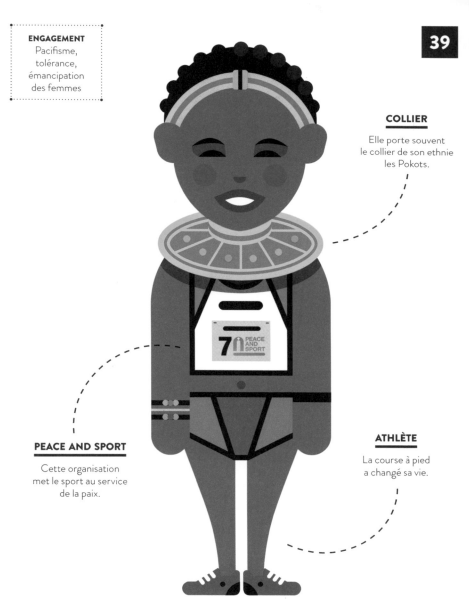

39

ENGAGEMENT
Pacifisme,
tolérance,
émancipation
des femmes

COLLIER

Elle porte souvent
le collier de son ethnie
les Pokots.

PEACE AND SPORT

Cette organisation
met le sport au service
de la paix.

ATHLÈTE

La course à pied
a changé sa vie.

L'ATHLÈTE AU GRAND CŒUR

MALALA YOUSAFZAI

Dès l'âge de 11 ans, la Pakistanaise Malala Yousafzai milite avec son père contre les talibans qui veulent empêcher l'instruction des filles. Sous le pseudonyme de Gul Makai, elle tient un blog pour témoigner de sa difficile vie d'écolière. Menacée de mort à plusieurs reprises, elle est attaquée le 9 octobre 2012, alors qu'elle rentre de l'école. Malgré une balle en pleine tête, elle s'en sort miraculeusement et part se rétablir au Royaume-Uni. Depuis, la jeune fille y poursuit ses études et son combat.

> "Un enfant, un professeur, un livre, un crayon peuvent changer le monde."
>
> Malala Yousafzai

TALIBANS

Malala est originaire de la vallée du Swat, une région terrorisée par les talibans (des extrémistes musulmans) de 2007 à 2009 et toujours menacée. Ces fanatiques s'en prennent particulièrement aux écoles de filles, qu'ils detruisent.

PRIX

Le 10 octobre 2014, la Pakistanaise Malala Yousafzai et l'Indien Kailash Satyarthi obtiennent conjointement le prix Nobel de la paix.

ONU

Le 12 juillet 2013, le jour de ses 16 ans, Malala prononce à la tribune de l'ONU un vibrant discours en faveur de l'éducation pour tous. Le 10 avril 2017, l'ONU la nomme messagère de la paix chargée de l'éducation des filles.

IDENTITÉ

Militante pour l'éducation des filles

Pakistanaise

Née le 12 juillet 1997, à Mingora

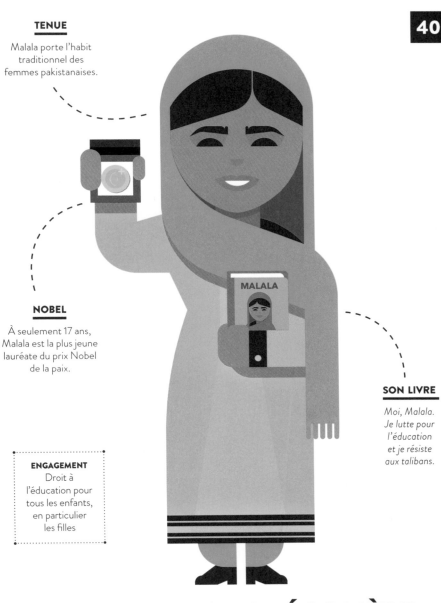

TENUE

Malala porte l'habit traditionnel des femmes pakistanaises.

NOBEL

À seulement 17 ans, Malala est la plus jeune lauréate du prix Nobel de la paix.

SON LIVRE

Moi, Malala. Je lutte pour l'éducation et je résiste aux talibans.

ENGAGEMENT
Droit à l'éducation pour tous les enfants, en particulier les filles

MALALA

LA COURAGEUSE ÉCOLIÈRE

CHRONOLOGIE

1848

PRINTEMPS DES PEUPLES

Un vent de révolte et de liberté souffle sur l'Europe. En France, Victor Schœlcher fait abolir l'esclavage.

1849

CONGRÈS INTERNATIONAL DE LA PAIX, À PARIS

Face aux guerres qui ensanglantent l'Europe tout au long du XIXᵉ siècle, Victor Hugo défend l'idée d'une Europe unie et fraternelle.

1920

CRÉATION DE LA SDN (SOCIÉTÉ DES NATIONS)

Woodrow Wilson est le principal promoteur de cette organisation internationale qui a pour but de maintenir la paix mondiale.

1939-1945

SECONDE GUERRE MONDIALE

Les résistants Sophie Scholl et Raoul Wallenberg se dressent contre la barbarie nazie.

1963

MARCHE PACIFIQUE SUR WASHINGTON

Martin Luther King lutte contre la ségrégation raciale et réclame l'égalité des droits civiques.

1964-1975

GUERRE DU VIETNAM

Chanteurs engagés, Joan Baez et John Lennon dénoncent ce conflit.

1901

CRÉATION DU PRIX NOBEL
DE LA PAIX

———

Le premier lauréat est Henri Dunant,
fondateur de la Croix-Rouge.

 1914-1918

PREMIÈRE GUERRE MONDIALE

———

Pacifistes, le Français Jean Jaurès
et l'Allemande Rosa Luxemburg
s'opposent à la guerre.

 1945

CRÉATION DE L'ONU
(ORGANISATION
DES NATIONS UNIES)

———

Eleanor Roosevelt présente
la Déclaration universelle des droits
de l'homme.

1947

INDÉPENDANCE DE L'INDE
ET DU PAKISTAN

———

Grande figure de la décolonisation,
Mohandas Gandhi choisit
la voie de la résistance passive
et de la non-violence.

 1972

PREMIER SOMMET DE LA TERRE

———

L'écologiste Wangari Maathai combat
la déforestation en Afrique.

1989

CHUTE DU MUR DE BERLIN

———

Mikhaïl Gorbatchev permet la fin
de la Guerre froide.

Direction éditoriale Thomas Dartige
Édition Françoise Favez
Direction artistique Élisabeth Cohat
et Jean-François Saada
Graphisme Anaïs Lemercier
Correction Aurore Delvigne
Fabrication Nadège Grézil
Photogravure IGS